U0087698

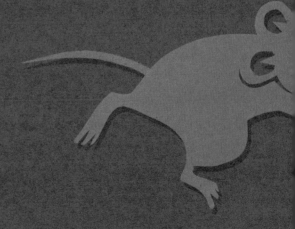

© 新老鼠娶親

文　　圖	莊予瀞
責任編輯	楊雲琦
美術設計	黃顯喬
版權經理	黃瓊蕙

發 行 人	劉振強
發 行 所	三民書局股份有限公司
	地址　臺北市復興北路386號
	電話　(02)25006600
	郵撥帳號　0009998-5
門 市 部	(復北店) 臺北市復興北路386號
	(重南店) 臺北市重慶南路一段61號

出版日期	初版一刷　2019年2月
編　　號	S 858711

行政院新聞局登記證局版臺業字第○二○○號

有著作權・不准侵害

ISBN　978-957-14-6562-3　(精裝)

http://www.sanmin.com.tw　三民網路書店

※本書如有缺頁、破損或裝訂錯誤，請寄回本公司更換。

新老鼠娶親

莊予瀞／文圖

三民書局

一個大年初三的午後，

巧婷和奶奶在屋前晒太陽。

初四是表姐結婚的日子。
全家人一起吃著大餐，
高興的討論著隔天的婚禮。

「今晚是老鼠娶親的日子，
我們要早點睡，才不會打擾到他們的婚禮！」
奶奶對巧婷說。

可是巧婷一點也不想睡，
她好奇的看著奶奶手裡的繡球。

奶奶微笑著說：「只要妳答應奶奶早點睡，這顆球就是妳的了。」

「多漂亮的一顆球啊！」

「來搶呀，咪咪！」

「嘿，看我的！」

美麗的拼布和發光的繡線，
讓這顆球像是有年代的寶物一般。

啪，巧婷摔了一跤！

「糟糕！」

球一下子飛了出去。

要去找球嗎？

可是已經答應奶奶了，
要早點睡才行。

巧婷決定明天一早醒來就去找球。

當巧婷再次睜開眼睛的時候，眼前紅通通的一片！

她把頭頂的紅布掀了起來，

結果看到──

一行老鼠隊伍在遊行！

「這是哪裡？我應該在奶奶家才對啊！」
巧婷大聲的說。

「喔，親愛的，妳這個幸運的女孩，
今晚就要嫁給我們這裡最帥氣、最有才華的老鼠了！」
一隻老鼠媒婆回答。

「不對，不對！要結婚的人應該是我的表姐！」
巧婷解釋，

「我只想找回我的球！」

「好一個調皮又有活力的新娘啊！」一個優雅的聲音說。

巧婷順著聲音回頭，
看見一位英俊的陌生人騎著兔子而來。

「來，這是妳弄掉的紅蓋頭！」他微笑著說。
「可別再弄掉了啊！」

「請問你是誰？」巧婷問。

「妳未來的丈夫。」陌生人回答。

「妳可以叫我『老鼠先生』。

是我撿到了妳的繡球，

妳就要成為我的新娘了。」

巧婷不明白，

為什麼這個人要稱呼自己「老鼠先生」呢？

連一點思考的時間也沒有，
巧婷被一隻癩蛤蟆抓到半空中。

「美麗的小姐，既然妳不想嫁給那傢伙的話，
不如就做我的老婆吧？」
癩蛤蟆說。

所有的老鼠都嚇得直發抖，
除了老鼠先生。

「立刻放下她！」
老鼠先生太厲害了！
癩蛤蟆完全不是他的對手，
很快就被打得落荒而逃。

事情還沒完。

一隻淚眼汪汪的泥鰍，扭到巧婷的面前，

「我的新娘子跑了，

妳可以安慰我破碎的心，並且嫁給我嗎？」

「不！」

巧婷接著大喊：「救命啊！」

老鼠先生趕來救她了！
沒想到他還是一位功夫高手！
泥鰍敵不過他，只好哭著游走了。

「謝謝你救了我！」巧婷對老鼠先生說。
「這沒什麼。」老鼠先生說。

他很高興巧婷不再提起奶奶的球和表姐的婚禮。
巧婷像是忘了所有的事情，
開始思考嫁給老鼠先生的事。

「喵⋯⋯」

突然，一隻大花貓出現在他們面前。
這次連老鼠先生都嚇著了。
但他很快又站了起來，像之前一樣戰鬥。

戰況非常激烈。
就在大花貓要抓住巧婷的時候，
老鼠先生救了她。
她抬頭望著老鼠先生，
卻發現他的臉出現了變化……

「啊！一隻老鼠！」
她驚訝的張大嘴。
「他真的是一位『老鼠先生』！」

巧婷從高處仔細的看著那隻貓，
突然覺得牠有點眼熟。

「是咪咪！」

她大叫。

是奶奶養的貓。

咪咪是來帶她回家的！
牠走向巧婷，舔了舔她的頭，
發出呼嚕聲撒嬌。

「請把我放下來，老鼠先生。」巧婷說。
「你真的很英勇，

但是我不能嫁給你。」

老鼠先生看著巧婷離去的背影，
難過極了。

當巧婷再次醒來的時候，咪咪就睡在她的身旁。

昨晚發生的一切就像是一場夢。

但是巧婷知道，**這不只是夢。**

這時，她聽到媽媽的呼喚聲：
「再不出發，我們就趕不上婚禮啦！」

在路上，
巧婷和爸爸、媽媽以及奶奶分享了她的冒險。

「真是太有趣了！」媽媽笑著說。
「古人說老鼠是一胎多子的動物，
有多子多孫的意味。
別忘了用這個祝賀妳的表姐。」

在喜宴上，大家祝福著新人。
巧婷也高舉她的杯子說：
「祝你們生好多好多小孩，像老鼠一樣多！」
大家都笑了。

「希望老鼠先生也找到他的新娘了。」巧婷想著。